Dominique Joly
Bruno Heitz

L'Histoire de France en BD

Louis XIV
et Versailles

casterman

casterman

87, quai Panhard-et-Levassor
75647 Paris cedex 13

© Casterman 2013
www.casterman.com

ISBN 978-2-203-06484-3
N° d'édition : L.10EJDN001161.C002
Dépôt légal : mars 2013
D. 2013/0053/203

Déposé au ministère de la Justice, Paris
(loi n°49.956 du 16 juillet 1949 sur les publications destinées à la jeunesse).

Achevé d'imprimer en novembre 2014, en France - L70349.

EN 1615, LOUIS XIII ET ANNE D'AUTRICHE, LES PARENTS DU FUTUR LOUIS XIV, SE MARIENT. LE JEUNE ROI LOUIS XIII RÈGNE DEPUIS CINQ ANS SUR LE ROYAUME DE FRANCE.

En ce jour, moi, Louis le treizième, je prends pour épouse la fille du roi d'Espagne.

LES ÉPOUX ESPÈRENT LA NAISSANCE D'UN HÉRITIER QUI ASSURERA LA SUCCESSION SUR LE TRÔNE. MAIS IL LEUR FAUT ATTENDRE LONGTEMPS...

Exauce notre vœu, Seigneur!

Donne-nous un héritier!

APRÈS 22 ANS DE MARIAGE, ILS ONT ENFIN UN FILS : EN 1638, NAÎT LOUIS DIEUDONNÉ AU CHÂTEAU DE SAINT-GERMAIN-EN-LAYE.

Nous l'appellerons Louis!

Louis Dieudonné car cet enfant nous est donné par Dieu.

EN 1643, LOUIS XIII MEURT. LE RÈGNE DE SON FILS LOUIS XIV COMMENCE.

Le roi est mort!

Vive le roi!

COMME IL N'A QUE CINQ ANS, IL NE PEUT PRENDRE DE DÉCISIONS POLITIQUES.

Désormais, j'assurerai donc la régence.

Oui ma mère.

ANNE D'AUTRICHE GOUVERNE AVEC L'AIDE DE SON MINISTRE PRINCIPAL LE CARDINAL DE MAZARIN : UN DIPLOMATE ITALIEN HABILE, OBSTINÉ ET TRAVAILLEUR.

Entrez donc, Éminence! Venez bavarder avec nous, vous travaillez trop.

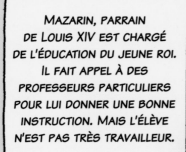

MAZARIN, PARRAIN DE LOUIS XIV EST CHARGÉ DE L'ÉDUCATION DU JEUNE ROI. IL FAIT APPEL À DES PROFESSEURS PARTICULIERS POUR LUI DONNER UNE BONNE INSTRUCTION. MAIS L'ÉLÈVE N'EST PAS TRÈS TRAVAILLEUR.

Majesté, il est l'heure d'accueillir vos maîtres.

À LA LECTURE, IL PRÉFÈRE CONVERSER ET ÉCOUTER LES GRANDS TEXTES D'HISTOIRE QUE SON VALET DE CHAMBRE LUI LIT.

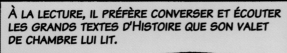

Lisez, mon bon valet, lisez donc! Je suis tout ouïe!

SON ÉDUCATION MILITAIRE EST ASSEZ COMPLÈTE. IL APPREND À MONTER À CHEVAL, À MANIER LES ARMES ET CONNAÎT L'ART DE LA GUERRE.

Plus droit, le dos!

Redressez-vous, Sire!

COLLECTIONNEUR D'ŒUVRES D'ART, MAZARIN A LE SOUCI DE FORMER LE GOÛT ET LE JUGEMENT DE SON FILLEUL. LOUIS XIV JOUE DE LA GUITARE...

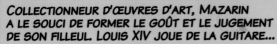

... MAIS IL ADORE SURTOUT DANSER, C'EST SA PASSION.

Danser deux heures par jour, pour moi, cela n'est pas de trop.

POUR ÊTRE INITIÉ À SON MÉTIER DE ROI, LE JEUNE LOUIS PARTICIPE CHAQUE JOUR AU TRAVAIL DES MINISTRES. IL MONTRE DE GRANDES QUALITÉS ET APPREND À NE PAS DIRE CE QU'IL PENSE.

Prenez garde, messieurs les ministres, à ne point trop offenser l'Espagne.

L'ENFANCE DE LOUIS XIV EST MARQUÉE PAR DE GRAVES TROUBLES: LA FRONDE, UNE RÉBELLION GÉNÉRALE QUI TOURNE À LA GUERRE CIVILE.

À bas Mazarin!

Mort à l'Italien!

ENTRE 1648 ET 1653, LE MÉCONTENTEMENT LIÉ À LA HAUSSE DES IMPÔTS EST ATTISÉ PAR LES PARLEMENTAIRES ET LES NOBLES. ILS VEULENT RÉCUPÉRER LEURS PRIVILÈGES CONFISQUÉS PAR RICHELIEU, LE PRÉDÉCESSEUR DE MAZARIN.

C'en est trop! Nous nous révoltons!

S'AJOUTENT LES DIVISIONS AU SEIN DE LA FAMILLE ROYALE. LES PRINCES, ONCLE ET COUSIN DU ROI, COMPLOTENT CONTRE LUI. L'AUTORITÉ ROYALE VACILLE.

Et dire que s'il n'était pas né, j'aurais pu être roi!

EN AOUT 1648, PARIS SE HÉRISSE DE BARRICADES. LA FOULE RETIENT PRISONNIÈRE LA COUR. DANS LA NUIT DU 6 JANVIER 1649, LA REINE S'ENFUIT AVEC SON FILS ET MAZARIN.

Vite! À Saint-Germain!

RIEN NE VA PLUS ENTRE LE PEUPLE SOUTENU PAR LES PRINCES, ET MAZARIN TRÈS IMPOPULAIRE. L'ARMÉE ROYALE ET L'ARMÉE DES PRINCES S'AFFRONTENT. LE ROYAUME EST DÉVASTÉ. MAIS LES FRONDEURS ÉCHOUENT.

EN OCTOBRE 1652, LE ROI ET SA MÈRE FINISSENT PAR RENTRER À PARIS. PRINCES ET PARLEMENTAIRES SONT DÉCONSIDÉRÉS.

J'établirai un pouvoir si fort que personne ne pourra le contester!

Vive le roi!

MAZARIN, À LA SUITE DES TROUBLES DE LA FRONDE, RESTE À LA TÊTE DES AFFAIRES DU ROYAUME. LOUIS XIV POURSUIT SON ÉDUCATION. EN 1651, IL SE REND POUR LA PREMIÈRE FOIS À VERSAILLES, LÀ OÙ SON PÈRE A FAIT CONSTRUIRE UN CHÂTEAU DE CHASSE. IL EST ENTHOUSIASMÉ.

Versailles! Cet endroit est si beau...

... que j'aimerais toujours y rester!

À L'ÂGE DE 17 ANS, LOUIS XIV EST SACRÉ ROI À REIMS, COMME LA PLUPART DES ROIS DE FRANCE DEPUIS LE MOYEN ÂGE.

Je jure devant le ciel d'accorder à mes peuples paix, justice et miséricorde.

EN 1659, LA PAIX EST ENFIN SIGNÉE ENTRE LA FRANCE ET L'ESPAGNE APRÈS 25 ANS DE GUERRE.

C'EST LE TRAITÉ DES PYRÉNÉES, ŒUVRE DE L'HABILE MAZARIN, QUI PERMET À LA FRANCE DE S'AGRANDIR.

Enfin! ça y est, l'Espagne a accepté...

Le roi va être fort satisfait.

LE TRAITÉ APPORTE À LA FRANCE LE ROUSSILLON, L'ARTOIS ET QUELQUES PLACES FORTES. IL PRÉVOIT AUSSI UN MARIAGE DIPLOMATIQUE.

La paix, mais à une condition...

?

LE 9 JUIN 1660, À SAINT-JEAN-DE-LUZ, A LIEU LE MARIAGE DANS UNE GRANDE LIESSE POPULAIRE. LES ÉPOUX SE CONNAISSENT DEPUIS TROIS JOURS. MARIE-THÉRÈSE NE PARLE PAS FRANÇAIS, MAIS ELLE APPORTE DU CHOCOLAT ET LES PREMIÈRES ORANGES EN FRANCE!

Chère cousine, acceptez-vous de me prendre ce jour pour époux?

¿Por qué no?

PAR LA SIGNATURE DE CE TRAITÉ, LA FRANCE S'IMPOSE COMME L'ÉTAT EUROPÉEN LE PLUS PUISSANT, CAPABLE DE MOBILISER UNE ARMÉE NOMBREUSE ET D'IMPOSER SA DIPLOMATIE. SA FORCE RÉSIDE DANS SA POPULATION TROIS FOIS PLUS IMPORTANTE QUE CELLE DE L'ESPAGNE OU DE L'ANGLETERRE.

ANGLETERRE: 6,5 millions d'habitants

PAYS BAS: 2 millions d'habitants

FRANCE: 20 millions d'habitants

ESPAGNE: 6,5 millions d'habitants.

ELLE EST DÉSORMAIS EN PAIX ET AGRANDIE. SA FRONTIÈRE À L'EST RENFORCÉE DEPUIS QUE LES TRAITÉS DE WESTPHALIE EN 1648 LUI ONT DONNÉ L'ALSACE AINSI QUE DES VILLES COMME METZ, TOUL ET VERDUN.

Parfait pour surveiller au-delà du Rhin!

Was?

MAIS CE ROYAUME, LE PLUS PUISSANT D'EUROPE, COMPORTE À L'INTÉRIEUR BIEN DES FAIBLESSES. SES HABITANTS HABITENT UNE MÊME NATION, MAIS VIVENT DANS UNE MULTITUDE DE PAYS DIFFÉRENTS.

Nous sommes tous deux des sujets du roi de France, mais qu'y a-t-il de commun entre toi le Breton et moi le Provençal?

LA FRANCE EST PEU UNIFIÉE. LES DIVISIONS ADMINISTRATIVES DIFFÈRENT DES DIVISIONS FISCALES ET JUDICIAIRES. D'UN VILLAGE À L'AUTRE, LES POIDS ET LES MESURES CHANGENT.

Toi, ton

tu comptes vin en pintes ou en chopines?

Je préfère le cidre.

À PEINE UN QUART DES HABITANTS PARLE LE FRANÇAIS, LE RESTE S'EXPRIME EN PATOIS (PICARD, GASCON) OU DANS UNE LANGUE RÉGIONALE: BRETON, PROVENÇAL OU BASQUE.

Kenavo!*

A l'an que ven!**

* Kenavo: au revoir, en breton.
** A l'an que ven: à l'an prochain, en provençal.

8

CES DIFFÉRENCES NE GÊNENT GUÈRE LES FRANÇAIS QUI SONT, POUR LA PLUPART, ATTACHÉS À LEUR TERRE ET NE S'EN ÉLOIGNENT JAMAIS. 85 % SONT DES PAYSANS, BEAUCOUP SONT MISÉRABLES.

Un hiver trop froid...

Un été pluvieux qui fait pourrir les blés...

Et c'est la faim, la maladie.

L'ESPÉRANCE DE VIE NE DÉPASSE PAS 25 ANS. 2 ENFANTS SUR 3 MEURENT AVANT L'ÂGE DE 5 ANS.

J'ai juste 40 ans et l'on dit que je suis un vieux barbon...

MÊME SI LES RÉCOLTES SONT BONNES, ELLES NE PERMETTENT PAS DE NOURRIR UNE FAMILLE. IL FAUT PAYER LE LOYER DE LA TERRE, LA DÎME AU CURÉ ET L'IMPÔT AU ROI.

Au nom du roi, je viens collecter ce que vous lui devez!

EN CAS DE FAMINE, LES PLUS PAUVRES ENVOIENT LEURS ENFANTS MENDIER AUX PORTES DES COUVENTS ET DES VILLES, PUIS PRENNENT LA ROUTE POUR GROSSIR LES TROUPES DE VAGABONDS.

LES VILLES SONT SALES, BRUYANTES, ET L'INSÉCURITÉ Y RÈGNE LA NUIT. PARIS EST LA PLUS PEUPLÉE (400 000 HABITANTS).

MAZARIN DÉCIDE EN 1656 DE CRÉER DANS CHAQUE VILLE UN HÔPITAL GÉNÉRAL, SORTE D'ASILE PRISON POUR ENFERMER TOUS CEUX QUI VIVENT DANS LA RUE: MENDIANTS, VAGABONDS ET INFIRMES. ON CACHE LA MISÈRE.

Par ordre du roi, la mendicité est interdite ici!

Allons, ouste, à l'hôpital!

LE 9 MARS 1661, LE CARDINAL MAZARIN, ÉPUISÉ, MEURT. LOUIS XIV EST ÂGÉ DE 22 ANS. IL A JUSQUE LÀ MENÉ UNE VIE INSOUCIANTE, MONTRANT PEU D'EMPRESSEMENT À GOUVERNER.

Je me meurs... j'ai rempli ma tâche dignement et, en plus, j'ai amassé une prodigieuse fortune...

LE LENDEMAIN, À LA STUPEUR GÉNÉRALE, IL CONVOQUE LES MINISTRES ET LEUR ANNONCE D'UN TON SEC QU'IL SE PASSERA DE PREMIER MINISTRE.

Messieurs, il est temps que je gouverne par moi-même!

!!??

LOUIS XIV TIENT PAROLE ET SE LANCE AVEC ARDEUR DANS SON MÉTIER DE ROI. IL S'INFORME DE TOUT ET VEUT TOUT CONTRÔLER. PEU À PEU, L'ORGANISATION DU POUVOIR CHANGE.

Le métier de roi est grand, noble et délicieux

LA REINE MÈRE ET LES PRINCES DU SANG SONT ÉCARTÉS. PARMI LES MINISTRES EN PLACE, TROIS SEULEMENT RESTENT: CEUX QUE MAZARIN LUI A RECOMMANDÉS.

Le Tellier, Lionne, vous serez à mes côtés. Et vous, Monsieur Fouquet, vous serez secondé par Colbert.

MAIS NICOLAS FOUQUET N'A PAS BIEN MESURÉ LA DÉTERMINATION DU ROI. SURINTENDANT DES FINANCES, IL A RÉUSSI À SAUVER LE PAYS DE LA DÉROUTE FINANCIÈRE TOUT EN AMASSANT UNE FORTUNE CONSIDÉRABLE.

Je ne m'en cache pas, ma devise est: « Quo non ascendam? » *

POSSÉDÉ PAR LA FOLIE DES GRANDEURS, FOUQUET S'EST FAIT CONSTRUIRE UN MAGNIFIQUE CHÂTEAU À VAUX-LE-VICOMTE. IL Y DONNE EN AOÛT 1661 UNE FÊTE SOMPTUEUSE EN L'HONNEUR DU ROI, QU'IL COMPTE ÉBLOUIR.

Le maraud! Quelle insolence!

* Quo non ascendam? Jusqu'où ne monterai-je pas?

QUELQUES JOURS PLUS TARD, FOUQUET EST ARRÊTÉ PUIS JUGÉ POUR DÉTOURNEMENT D'ARGENT ET CONDAMNÉ. LE ROI A FRAPPÉ FORT. IL VEUT QUE CELA SERVE D'EXEMPLE À SES COLLABORATEURS.

Holà Monsieur! Moi, d'Artagnan, mousquetaire du roi, je vous arrête!

LE ROI VEUT AFFIRMER SON AUTORITÉ. FOUQUET N'EST PAS REMPLACÉ. DÉSORMAIS, LOUIS XIV S'OCCUPERA PERSONNELLEMENT DES FINANCES PUBLIQUES.

Personne ne doit me faire de l'ombre...

... et je m'occuperai de tout.

DÈS LORS, LE ROI GOUVERNE SEUL ET DÉCIDE TOUT SANS APPEL. SES CHOIX ENGAGENT LE DESTIN DU ROYAUME. AUX PERSONNAGES DE HAUT RANG, IL PRÉFÈRE DES MINISTRES D'ORIGINE MODESTE.

Laissez passer mes fidèles collaborateurs!

Des bourgeois...

De simples roturiers!

LOUIS XIV GOUVERNE À TRAVERS DES CONSEILS SPÉCIALISÉS. LÀ, SIÈGENT MINISTRES ET SECRÉTAIRES D'ÉTAT. LE CONSEIL D'EN-HAUT TRAITE LA POLITIQUE GÉNÉRALE: GUERRE, PAIX, FINANCES.

EN PROVINCE, 31 INTENDANTS DE « JUSTICE, DE FINANCES ET D'ARMÉE » REPRÉSENTENT LE ROI ET VEILLENT À L'APPLICATION DE SES DÉCISIONS.

Le roi a décidé que...

TOUTE UNE ARMÉE DE COMMIS EST AU SERVICE D'UNE ADMINISTRATION MODERNISÉE. ELLE PERMET L'APPLICATION D'UN FLOT DE RÉFORMES LANCÉES DANS TOUS LES DOMAINES.

Être fonctionnaire, hélas...

Quel travail!

Nous sommes les forçats de la plume d'oie!

AU DÉBUT DU RÈGNE, LA COUR NE COMPTE QU'UNE CENTAINE DE COURTISANS RÉGULIERS. ILS MÈNENT UNE VIE JOYEUSE ET ACCOMPAGNENT LE ROI DANS SES VOYAGES.

LA COUR EST ALORS ITINÉRANTE. ELLE SE DÉPLACE AVEC MEUBLES, TAPISSERIES, VAISSELLE ENTRE LE LOUVRE, LES TUILERIES, VINCENNES, SAINT-GERMAIN, FONTAINEBLEAU OU COMPIÈGNE.

Où partons-nous, maintenant?

LE JEUNE ROI VEUT UNE VIE DE COUR À SON IMAGE: JEUNE, GAIE, EMPORTÉE DANS UN TOURBILLON DE DIVERTISSEMENTS. SOUPERS, BALS, SPECTACLES, PARTIES DE CHASSE...

Ce soir, je veux que l'on s'amuse, c'est un ordre!

LES FÊTES QUE LOUIS XIV PRÉFÈRE SONT CELLES OÙ IL PEUT S'OFFRIR LUI-MÊME EN SPECTACLE FACE À LA COUR. AVANT 1661, IL DANSE SOUVENT ET AVEC BRIO, COSTUMÉ EN HERCULE OU APOLLON.

EN 1662, 15 000 SPECTATEURS ASSISTENT ÉBLOUIS À UN SPECTACLE ÉQUESTRE AUX TUILERIES. LE ROI COSTUMÉ EN EMPEREUR ROMAIN MONTE UN CHEVAL EMPANACHÉ ET BRILLE AU MILIEU DES AUTRES CAVALIERS.

C'EST AU COURS DE CETTE PARADE QUE LOUIS XIV APPARAIT POUR LA PREMIÈRE FOIS AVEC UNE IMAGE DU SOLEIL, SON EMBLÈME.

Ut vidi vici

Sitôt que j'ai paru, j'ai vaincu!

LES ESPRITS LES PLUS BRILLANTS SONT APPELÉS POUR ORCHESTRER LES DIVERTISSEMENTS SOMPTUEUX COMME MOLIÈRE, CORNEILLE, HOMMES DE THÉÂTRE, ET LE MUSICIEN ITALIEN LULLY, CRÉATEUR DU PREMIER OPÉRA FRANÇAIS.

Molière, faites-nous rire, que diantre! Et vous, monsieur Corneille, montrez-nous les hommes tels qu'ils devraient être!

LE ROI AIME LES ARTISTES QUI ONT POUR MISSION DE LE DIVERTIR ET DE SERVIR SA GLOIRE. IL LES SUBVENTIONNE ET CRÉE POUR EUX L'ACADÉMIE DES BEAUX-ARTS.

Comment allez-vous me peindre?

De façon académique, Sire.

MOLIÈRE A DROIT À UN RÉGIME PARTICULIER. SA TROUPE DE COMÉDIENS DEVIENT LA TROUPE DU ROI. IL EST PROTÉGÉ PAR LOUIS XIV À LA SUITE DE PIÈCES QUI FONT SCANDALE COMME *TARTUFFE* ET *DOM JUAN*.

LE PARC DE VERSAILLES DÉJÀ EN PARTIE AMÉNAGÉ SERT DE CADRE AUX DEUX PLUS BELLES FÊTES DU RÈGNE. EN MAI 1664, LE ROI OFFRE À SA FAVORITE, M^{ELLE} DE LA VALLIÈRE, LES «PLAISIRS DE L'ÎLE ENCHANTÉE» PENDANT UNE SEMAINE EN PRÉSENCE DE 600 INVITÉS.

EN 1668, C'EST LA FÊTE DU GRAND DIVERTISSEMENT OÙ LA NOUVELLE FAVORITE DU ROI, MADAME DE MONTESPAN, EST À L'HONNEUR.

LE ROI SE DIVERTIT MAIS IL TRAVAILLE BEAUCOUP AUSSI. IL PEUT COMPTER SUR L'AIDE DE JEAN-BAPTISTE COLBERT, SON HOMME DE CONFIANCE QUI LE SERT JUSQU'À SA MORT EN 1683. COMME LE ROI, C'EST UN BOURREAU DE TRAVAIL ET RIEN NE LUI ÉCHAPPE.

Mon bon Colbert, il est temps de mettre en œuvre ce noble et grand projet: enrichir la France!

CONTRÔLEUR GÉNÉRAL DES FINANCES, SURINTENDANT DES BÂTIMENTS DU ROI ET SECRÉTAIRE D'ÉTAT À LA MARINE, COLBERT REMET DE L'ORDRE DANS LES FINANCES ROYALES.

Voyons, voyons... Comment faire rentrer l'argent?

DE TOUS LES FINANCIERS, IL EXIGE UNE COMPTABILITÉ RIGOUREUSE, ORGANISE UNE MEILLEURE COLLECTE ET RÉPARTITION DES IMPÔTS.

Chaque année, je veux un bilan général des recettes et des dépenses!

COLBERT ENCOURAGE LA CRÉATION D'IMMENSES ATELIERS OÙ TRAVAILLENT DE NOMBREUX OUVRIERS. LES GOBELINS POUR LES TAPISSERIES, SAINT-GOBAIN POUR LES GLACES, TOULON, BREST ET ROCHEFORT POUR LES NAVIRES.

Quelle bâtisse!

C'est là qu'ils fabriquent les plus belles tapisseries.

COLBERT PROPOSE DE RÉDUIRE LES ACHATS À L'ÉTRANGER ET D'EXPORTER LE PLUS POSSIBLE LES PRODUITS FABRIQUÉS EN FRANCE.

C'est simple: il nous faut acheter moins...

... et vendre plus à l'extérieur!

POUR OBTENIR UNE QUALITÉ IRRÉPROCHABLE, IL CONTRÔLE TOUT ET PUBLIE DES RÈGLEMENTS DE FABRICATION.

Colbert, il veut combien de fils d'or dans le galon?

Attends, je vais chercher le règlement.

DÉVELOPPER LE COMMERCE MARITIME EST UNE AUTRE PRIORITÉ. EN SUIVANT L'EXEMPLE DES HOLLANDAIS, COLBERT CRÉE DES COMPAGNIES COMMERCIALES OÙ DES NÉGOCIANTS ET DES PARTICULIERS PEUVENT ACHETER DES PARTS.

Il y aura la compagnie des Indes orientales, celle des Indes occidentales, celles du Nord, du Levant et du Sénégal.

ELLES REÇOIVENT LE MONOPOLE DES COLONIES QUI PROCURENT DES MATIÈRES PREMIÈRES COMME LES ANTILLES, L'ÎLE BOURBON (LA RÉUNION), L'ÎLE DE FRANCE (MAURICE).

LÀ SONT EMMENÉS DE FORCE DES ESCLAVES POUR LE TRAVAIL DANS LES PLANTATIONS DE CANNE À SUCRE.

EN NOUVELLE-FRANCE (CANADA), L'INSTALLATION DE COLONS EST ENCOURAGÉE. PLUS AU SUD, CAVELIER DE LA SALLE EXPLORE LE MISSISSIPPI.

Sur ces vastes territoires, notre drapeau flottera bientôt.

LE NAVIGATEUR FONDE LA LOUISIANE EN 1682.

Je nomme cette terre Louisiane, en l'honneur de Louis notre roi.

POURTANT, COLBERT NE PARVIENT PAS À TRANSFORMER EN PROFONDEUR L'ÉCONOMIE DE LA FRANCE QUI REPOSE SUR L'AGRICULTURE. SON ACTION SE HEURTE À LA SITUATION ÉCONOMIQUE DÉFAVORABLE ET SURTOUT AUX DÉPENSES CONSIDÉRABLES OCCASIONNÉES PAR LES GUERRES.

Merci Colbert. Et maintenant, je dois voir Le Tellier pour parler de l'armée.

Aïe, aïe. Ça va encore nous coûter horriblement cher...

L'AUTRE GRAND COLLABORATEUR DE LOUIS XIV EST MICHEL LE TELLIER, SECRÉTAIRE D'ÉTAT À LA GUERRE, QUI S'EMPLOIE À FAIRE DE LA FRANCE LA PREMIÈRE PUISSANCE MILITAIRE D'EUROPE EN LUI DONNANT UN OUTIL : UNE ARMÉE BIEN ORGANISÉE.

Mon cher Le Tellier, je vais vous confier une grande et noble tâche...

AVEC SON FILS LOUVOIS QUI LUI SUCCÈDE, IL ÉLARGIT LE RECRUTEMENT. L'ENGAGEMENT VOLONTAIRE NE SUFFISANT PAS, ON RECOURT AU RACOLAGE EN FORÇANT DES JEUNES GENS À S'ENRÔLER.

Allons, signe-là!

Je peux resigne... hic ...gner?

EN 1688, UN DÉBUT DE SERVICE MILITAIRE EST MIS EN PLACE AVEC LA MILICE : TOUT VILLAGE DOIT ÉQUIPER À SES FRAIS UN CÉLIBATAIRE TIRÉ AU SORT.

Mince, j'ai tiré le mauvais numéro!

AVEC LES RÉGIMENTS ÉTRANGERS (ALLEMANDS, ITALIENS, SUISSES, IRLANDAIS), LES EFFECTIFS DE L'ARMÉE FONT UN BOND : 65 000 HOMMES EN 1667, 280 000 EN 1678, 400 000 VERS 1705.

T'inquiète pas : on est nombreux!

LES UNIFORMES SONT CRÉÉS ET L'ARMEMENT MODIFIÉ. LE MOUSQUET EST REMPLACÉ PAR LE FUSIL AU TIR PLUS RAPIDE.

Avec une baïonnette au bout du fusil, me v'là équipé!

AFIN D'ÉVITER QUE LES TROUPES PILLENT POUR SE PROCURER DES VIVRES, LE SYSTÈME DE RAVITAILLEMENT EST AMÉLIORÉ PAR UN SERVICE DE CHARIOTS ET DE MAGASINS DE VIVRES ÉTABLIS AUX FRONTIÈRES.

Point de pillage, point de rapine, tel est l'ordre du roi! Nous avons tout ce qu'il faut à l'arrière.

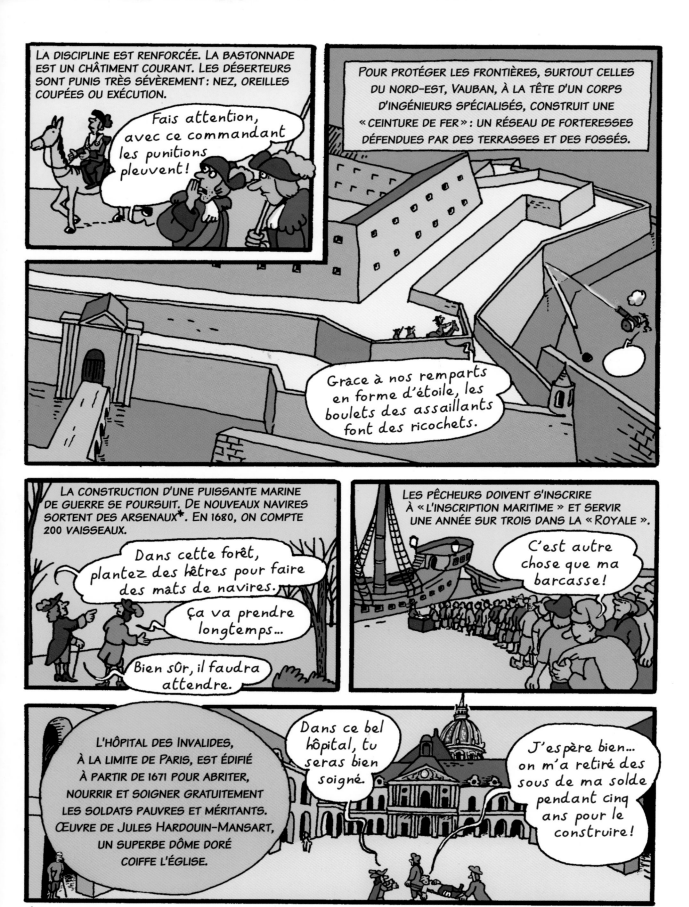

LA DISCIPLINE EST RENFORCÉE. LA BASTONNADE EST UN CHÂTIMENT COURANT. LES DÉSERTEURS SONT PUNIS TRÈS SÉVÈREMENT: NEZ, OREILLES COUPÉES OU EXÉCUTION.

Fais attention, avec ce commandant les punitions pleuvent!

POUR PROTÉGER LES FRONTIÈRES, SURTOUT CELLES DU NORD-EST, VAUBAN, À LA TÊTE D'UN CORPS D'INGÉNIEURS SPÉCIALISÉS, CONSTRUIT UNE «CEINTURE DE FER»: UN RÉSEAU DE FORTERESSES DÉFENDUES PAR DES TERRASSES ET DES FOSSÉS.

Grâce à nos remparts en forme d'étoile, les boulets des assaillants font des ricochets.

LA CONSTRUCTION D'UNE PUISSANTE MARINE DE GUERRE SE POURSUIT. DE NOUVEAUX NAVIRES SORTENT DES ARSENAUX*. EN 1680, ON COMPTE 200 VAISSEAUX.

Dans cette forêt, plantez des hêtres pour faire des mâts de navires.

Ça va prendre longtemps...

Bien sûr, il faudra attendre.

LES PÊCHEURS DOIVENT S'INSCRIRE À «L'INSCRIPTION MARITIME» ET SERVIR UNE ANNÉE SUR TROIS DANS LA «ROYALE».

C'est autre chose que ma barcasse!

L'HÔPITAL DES INVALIDES, À LA LIMITE DE PARIS, EST ÉDIFIÉ À PARTIR DE 1671 POUR ABRITER, NOURRIR ET SOIGNER GRATUITEMENT LES SOLDATS PAUVRES ET MÉRITANTS. ŒUVRE DE JULES HARDOUIN-MANSART, UN SUPERBE DÔME DORÉ COIFFE L'ÉGLISE.

Dans ce bel hôpital, tu seras bien soigné.

J'espère bien... on m'a retiré des sous de ma solde pendant cinq ans pour le construire!

* Arsenaux du royaume: au Havre, à Brest, à Rochefort et Toulon.

Doté de la première armée du monde, Louis XIV se lance dès le début de son règne dans une politique extérieure agressive. Il veut assurer des frontières solides et rêve d'agrandir son royaume, pour sa gloire et son prestige.

S'agrandir est la plus digne et la plus agréable occupation des souverains

Il redoute l'encerclement de la France et craint les ambitions des Habsbourg, cette famille dont sont issus les empereurs allemands et les rois d'Espagne.

Voilà un siècle et demi que cette famille nous nargue à nos frontières.

Il cherche à annexer de nouveaux territoires, surtout au nord-est, pour rendre les frontières rectilignes et former ainsi son « pré carré ».

Regardez, Vauban, tout cet enchevêtrement d'enclaves. Je veux quelque chose de net !

Pour cela, il fait la guerre à ses voisins.

« *Ultima ratio regum* »... Tu sais ce que ça veut dire, toi ?

Oui.

À partir de 1667, et pendant près de cinquante ans, le pays est en guerre presque continuelle.

Ça signifie qu'avec les guerres, les rois ont toujours le dernier mot.

Et nous, on y pousse notre dernier souffle !

Les conflits se déroulent aux frontières, hors du territoire. Les opérations militaires ont lieu au printemps et en été.

Moi, j'ai fait la guerre de Dévolution : 1667-1668 !

Moi celle de Hollande : 1672-1678 !

Moi celle de la Ligue d'Augsbourg : 1688-1697 !

Moi, la guerre de Succession d'Espagne : 1701-1713...

CES GUERRES DONNENT LIEU À PEU DE BATAILLES MAIS SE JOUENT SUR DES SIÈGES DE VILLES OÙ L'ARTILLERIE AVEC SES CANONS JOUE UN RÔLE ESSENTIEL. VAUBAN PERFECTIONNE CETTE STRATÉGIE EN ÉLABORANT LES FEUX CROISÉS, LES BOULETS CREUX ET LES TIRS À RICOCHET.

Ville assiégée par Vauban, ville prise!

Ville défendue par Vauban, ville IM-PRE-NABLE!

JUSQU'EN 1672, LE ROI PARTICIPE AUX CAMPAGNES MILITAIRES. À L'ARRIÈRE, LES DAMES DE COUR ASSISTENT AU DÉPLOIEMENT DES TROUPES.

Sire, ce n'est pas le métier de roi que de se faire tuer!

Vous avez raison, Turenne.

LES PRISES DE VILLES SONT SUIVIES DE TERRIBLES VIOLENCES : MURAILLES ABATTUES, MAISONS INCENDIÉES, HABITANTS PENDUS ET TROUPEAUX VOLÉS. EN EUROPE, ON DÉNONCE LA « BARBARIE FRANÇAISE ».

Au secours! Voilà les Français!

SUR MER, LES GRANDES BATAILLES NAVALES SONT REMPLACÉES PAR LA « GUERRE DE COURSE ». DES CORSAIRES MUNIS D'UNE LETTRE DE MARQUE S'ATTAQUENT AUX NAVIRES ENNEMIS. JEAN BART OU DUGUAY-TROUIN SE RENDENT CÉLÈBRES PAR LEURS EXPLOITS.

Tous à l'abordage!

Malédiction... C'est Jean Bart!

LES GUERRES DE LOUIS XIV ONT ÉTÉ MEURTRIÈRES ET RUINEUSES. ON ESTIME QU'ELLES ONT FAIT PLUS DE 2 MILLIONS DE MORTS ENTRE 1672 ET 1714 ET QU'ELLES ONT COÛTÉ L'ÉQUIVALENT DE 6 MILLIARDS D'EUROS.

L'AGRANDISSEMENT DU TERRITOIRE AVEC LA FLANDRE DU SUD, LE HAINAUT, LA SARRE ET LA FRANCHE-COMTÉ S'EST DONC EFFECTUÉ AU PRIX FORT.

Nos frontières sont enfin garanties!

Oui, mais à quel prix!

LES CONSTRUCTIONS SOMPTUEUSES QUE LOUIS XIV FAIT ÉDIFIER SERVENT SA GLOIRE, NOTAMMENT LE CHÂTEAU DE VERSAILLES, LE PLUS BEAU DES PALAIS ROYAUX.

Sire, toutes ces dépenses sont un gouffre!

Certes, mon bon Colbert, mais le bâtiment est ma passion.

LE LOUVRE, LES TUILERIES, VINCENNES, LE PALAIS-ROYAL, FONTAINEBLEAU, SAINT-GERMAIN : DE TOUTES CES DEMEURES OÙ IL RÉSIDE AU DÉBUT DE SON RÈGNE, AUCUNE NE LUI PLAIT VRAIMENT.

Trop sombre, trop grand, trop petit, trop loin...

Que veut-il exactement?

C'EST VERSAILLES QU'IL PRÉFÈRE, UN SITE HUMIDE, MARÉCAGEUX ET BATTU PAR LES VENTS, MAIS CHOISI PAR SON PÈRE LOUIS XIII.

C'est bien là que je veux être.

Ni trop près, ni trop loin de Paris...

LES MAÎTRES D'ŒUVRE DU FUTUR PALAIS SONT L'ARCHITECTE LE VAU, LE PEINTRE LE BRUN ET LE JARDINIER LE NÔTRE, CEUX-LÀ QUI ONT RÉALISÉ LE SPLENDIDE CHÂTEAU DE VAUX ÉDIFIÉ PAR FOUQUET QUI A TANT ATTISÉ LA JALOUSIE DU ROI*.

Le Vau

Le Brun

Le Nôtre

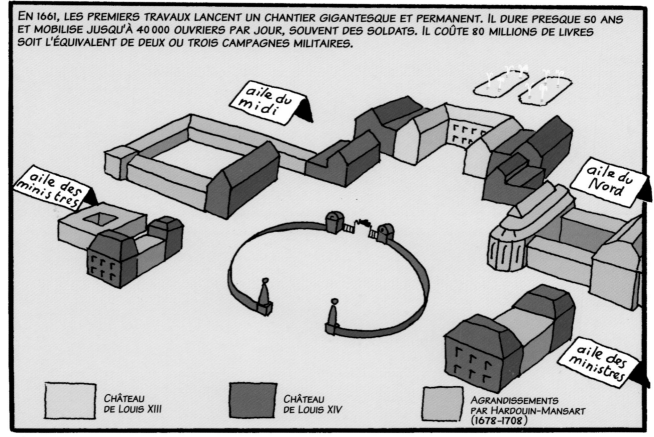

EN 1661, LES PREMIERS TRAVAUX LANCENT UN CHANTIER GIGANTESQUE ET PERMANENT. IL DURE PRESQUE 50 ANS ET MOBILISE JUSQU'À 40 000 OUVRIERS PAR JOUR, SOUVENT DES SOLDATS. IL COÛTE 80 MILLIONS DE LIVRES SOIT L'ÉQUIVALENT DE DEUX OU TROIS CAMPAGNES MILITAIRES.

aile du midi

aile des ministres

aile du Nord

aile des ministres

CHÂTEAU DE LOUIS XIII

CHÂTEAU DE LOUIS XIV

AGRANDISSEMENTS PAR HARDOUIN-MANSART (1678-1708)

* Vaux-le-Vicomte : voir page 10.

AU DÉPART, LOUIS XIV IGNORE QU'IL FERA CONSTRUIRE UN PALAIS SI COLOSSAL. LES BESOINS DU MOMENT OU DU PRESTIGE LE POUSSENT À DES TRAVAUX SUCCESSIFS.

Et votre famille, Sire, où la logera-t-on?

Eh bien, agrandissons!

D'ABORD, C'EST UN CHÂTEAU CAMPAGNARD OÙ DES FÊTES GRANDIOSES SONT DONNÉES. PUIS, IL EST AGRANDI POUR HÉBERGER LA FAMILLE DU ROI ET LES GRANDS SEIGNEURS.

Il paraît que le roi veut construire encore une aile!

On n'en verra jamais le bout!

LA GRANDE GALERIE (OU GALERIE DES GLACES) EST LE JOYAU DU PALAIS. LONGUE DE 73 M, ELLE EST DÉCORÉE DE 357 MIROIRS QUI REFLÈTENT LE CIEL ET LES JARDINS À TRAVERS SES HAUTES FENÊTRES. SA VOÛTE PEINTE PAR LE BRUN CÉLÈBRE LA GLOIRE DU ROI.

Ce plafond peint par Le Brun, quelle merveille!

Voyez ici: «Le roi armé sur terre et sur mer».

Et là: «Le roi gouverne par lui-même».

Et ici: «La Franche-Comté conquise pour la seconde fois».

LE GRAND APPARTEMENT, LIEU DE RÉCEPTION, EST D'UNE RICHESSE DÉCORATIVE INOUÏE. MARBRES, SCULPTURES, TABLEAUX, BRONZES DORÉS, MOBILIER PRÉCIEUX ORNENT LES SALONS D'APPARAT.

Ici le salon de l'Abondance, puis le salon de Vénus, ensuite les salons de Diane, de Mars, de Mercure et enfin le salon d'Apollon et celui de la Guerre.

Sept salons à la suite!

POUR LA PREMIÈRE FOIS SE TROUVENT CONCENTRÉS EN UN LIEU UNIQUE LA RÉSIDENCE DU ROI, CELLE DE LA COUR ET LE GOUVERNEMENT.

Tu savais, toi, que Paris n'était plus la capitale?

Ben oui, ils sont tous à Versailles!

LES FENÊTRES DE LA CHAMBRE DU ROI AMÉNAGÉE EN 1701 DONNENT SUR UNE SUCCESSION DE TROIS COURS: LA COUR DE MARBRE DALLÉE DE NOIR ET BLANC, LA COUR ROYALE FERMÉE PAR UNE GRILLE DORÉE ET LA COUR DES MINISTRES.

Cour des Ministres

Cour Royale

Cour de Marbre

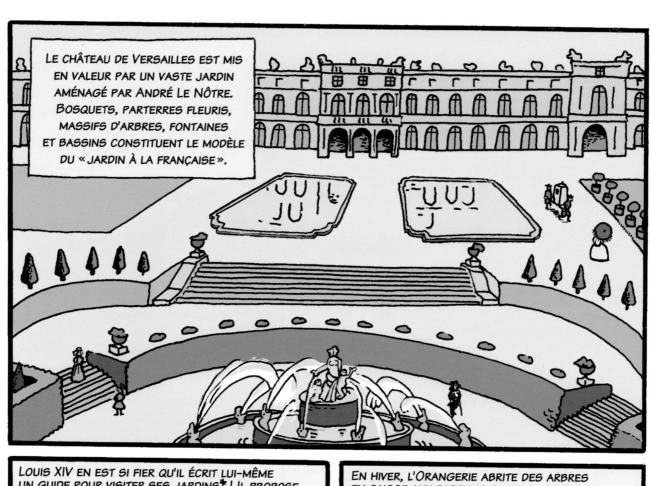

LE CHÂTEAU DE VERSAILLES EST MIS EN VALEUR PAR UN VASTE JARDIN AMÉNAGÉ PAR ANDRÉ LE NÔTRE. BOSQUETS, PARTERRES FLEURIS, MASSIFS D'ARBRES, FONTAINES ET BASSINS CONSTITUENT LE MODÈLE DU « JARDIN À LA FRANÇAISE ».

LOUIS XIV EN EST SI FIER QU'IL ÉCRIT LUI-MÊME UN GUIDE POUR VISITER SES JARDINS* ! IL PROPOSE DES ITINÉRAIRES POUR CE LIEU OUVERT AU PUBLIC.

Commençons en prenant cette belle allée...

EN HIVER, L'ORANGERIE ABRITE DES ARBRES EN CAISSE AUX PARFUMS SUBTILS : LAURIERS, ORANGERS, GRENADIERS. L'ÉTÉ, LES ARBRES SONT SORTIS.

Quelle senteur! Ce parfum délicieux m'enivre!

AU CŒUR DU PARC S'ÉLÈVE UNE MÉNAGERIE. ON VIENT Y ADMIRER DES OISEAUX RARES OU L'ÉLÉPHANT OFFERT AU ROI.

Quelle volaille!

On dirait la Marquise de...

LE LABYRINTHE DE VERDURE EST UN BOSQUET OÙ L'ON S'AMUSE BEAUCOUP!

* « Manière de montrer les jardins de Versailles ». Six versions sont publiées entre 1689 et 1705.

BASSINS, FONTAINES, PIÈCES D'EAU : L'EAU EST PARTOUT DANS LE PARC. TANTÔT CALME ET MIROITANTE, TANTÔT JAILLISSANTE EN CASCADE.

Tu ouvriras les vannes au passage du roi, tu les fermes après !

LA PIÈCE D'EAU DES SUISSES EST PROCHE DU POTAGER DU ROI. ICI, LE JARDINIER LA QUINTINIE PARVIENT À RÉCOLTER DES ASPERGES EN JANVIER, DES FRAISES EN MARS.

Le roi va se régaler !

TOUS CES AMÉNAGEMENTS NÉCESSITENT D'ÉNORMES QUANTITÉS D'EAU. DE GRANDS TRAVAUX SONT ENTREPRIS POUR LE SYSTÈME HYDRAULIQUE : RÉSERVOIRS, ÉTANGS ARTIFICIELS, AQUEDUCS ET RIGOLES.

Le roi sait-il que les grandes eaux dépensent pareilles quantités ?

CELA NE SUFFIT PAS. UNE ÉNORME MACHINE EST ÉDIFIÉE POUR POMPER L'EAU DE LA SEINE ET LA FAIRE MONTER À VERSAILLES. SON COÛT EST RUINEUX.

EN FORME DE CROIX, LE GRAND CANAL, LONG DE 1,8 KM, PROLONGE LA PERSPECTIVE DANS L'AXE CENTRAL DU CHÂTEAU ET ACCENTUE SA MAJESTÉ. LE ROI Y FAIT VOGUER UNE PETITE FLOTTE. C'EST AUSSI L'ENDROIT D'OÙ L'ON TIRE LES FEUX D'ARTIFICE ET OÙ SE DÉROULENT DES FÊTES SOMPTUEUSES.

AU CHÂTEAU, LA VIE QUOTIDIENNE S'ORDONNE AUTOUR DU SOUVERAIN ET SE DÉROULE COMME UNE PIÈCE DE THÉÂTRE À LA MISE EN SCÈNE SOIGNEUSEMENT ORGANISÉE. CHAQUE MOMENT DE LA JOURNÉE FAIT L'OBJET D'UNE CÉRÉMONIE.

Ah mon Dieu! Déjà huit heures! Le roi se réveille, il faut se lever!

ALORS QUE SIX PERSONNES SONT DÉJÀ PRÉSENTES DANS LA CHAMBRE, D'AUTRES ARRIVENT POUR LE PETIT LEVER. LE ROI SE PEIGNE LUI-MÊME ET SE FAIT RASER TOUS LES DEUX JOURS.

POUR LE GRAND LEVER ENTRENT DES MEMBRES DE LA FAMILLE PUIS, UN PAR UN, DES COURTISANS. LE ROI BOIT UN BOUILLON ET ON L'HABILLE. IL CHOISIT SA CRAVATE, SA PERRUQUE ET FAIT SA PRIÈRE.

LE ROI PASSE DANS LA GRANDE GALERIE POUR SE RENDRE À LA MESSE. C'EST LE MOMENT DE SE FAIRE VOIR DU SOUVERAIN ET DE LUI GLISSER QUELQUES MOTS.

Poussez pas!

Sire...

Mais j'étais là avant vous!

LE ROI TIENT CONSEIL DANS SON CABINET ENTOURÉ DE SES MINISTRES. IL ÉCOUTE LES AVIS ET TRANCHE.

Très bien, Vauban. Je vais examiner ces plans et Colbert vous dira si...

C'EST L'HEURE DU PETIT COUVERT. LE ROI MANGE SEUL À TABLE DEVANT UNE CENTAINE DE COURTISANS. PARFOIS IL INVITE SON FRÈRE, MONSIEUR, À SE JOINDRE À LUI. ON LUI PRÉSENTE UNE VINGTAINE DE PLATS ET IL S'EMPIFFRE JUSQU'À L'INDIGESTION.

Quel appétit!

SOUVENT, L'APRÈS-MIDI, LE ROI SE REND DANS L'APPARTEMENT DE SA FAVORITE, LA MARQUISE DE MONTESPAN PUIS, PLUS TARD, CHEZ MME DE MAINTENON QU'IL A ÉPOUSÉ SECRÈTEMENT.

IL PEUT AUSSI ENTAMER UNE LONGUE PROMENADE EN COMPAGNIE DE BELLES DAMES INVITÉES À MONTER DANS SON CARROSSE, OU BIEN PARTIR À LA CHASSE.

TROIS SOIRS PAR SEMAINE, IL Y A «APPARTEMENT». LE ROI RETROUVE SA COUR DANS LES SALONS OÙ SONT DONNÉS DES CONCERTS, DES PIÈCES DE THÉÂTRE, DES BALS. ON JOUE AU BILLARD, AUX CARTES, AUX DÉS...

Sire, votre adresse me laisse pantois.

Vil flatteur.

AU SOUPER (OU GRAND COUVERT) LE ROI PARTAGE UNE TRENTAINE DE PLATS AVEC SA FAMILLE, AU SON DE LA MUSIQUE ET DEVANT LES COURTISANS.

LE GRAND COUCHER, SUIVI DU PETIT COUCHER, EST LA CÉRÉMONIE INVERSE DU LEVER. LES PRIVILÉGIÉS PRENNENT CONGÉ ET S'INCLINENT DEVANT LE ROI.

LES DOMESTIQUES SE RETIRENT APRÈS AVOIR DÉPOSÉ UNE COLLATION (TROIS PAINS, DEUX CARAFES DE VIN) ET ALLUMÉ UNE BOUGIE QUI SE CONSUMERA TOUTE LA NUIT. LE ROI PEUT S'ENDORMIR.

À PARTIR DE 1682, LE ROI ET SA COUR S'INSTALLENT À VERSAILLES. EN OFFRANT UNE « CAGE DORÉE » AUX NOBLES, LOUIS XIV LES CONTRÔLE ET LES REND DÉPENDANTS.

C'est ici que nous allons vivre? Mais c'est en plein chantier...

LE ROI IMPOSE SON EMPLOI DU TEMPS ET SES GOÛTS. LES NOBLES SONT TENUS DE RESPECTER L'ÉTIQUETTE, UN ENSEMBLE DE RÈGLES CONTRAIGNANTES.

Ah! l'étiquette... quelle tyrannie!

Vous au moins, ma pauvre Dorine, vous n'avez pas ces soucis...

LA COUR COMPREND 7 000 PERSONNES. D'ABORD LE ROI ET SA GRANDE FAMILLE : LA REINE, SES ENFANTS, LES FAVORITES SUCCESSIVES AINSI QUE LES ENFANTS QUE LA PLUPART D'ENTRE ELLES ONT EU DU ROI.

LES NOBLES DOIVENT ÊTRE VUS DU ROI POUR LUI PLAIRE ET LE FLATTER. EN RETOUR, IL DISTRIBUE HONNEURS ET PENSIONS.

Sire, loin de vous, on est non seulement malheureux, mais aussi ridicule!

Larbin, va!

3 000 COURTISANS PRIVILÉGIÉS HABITENT LE CHÂTEAU. LEURS LOGEMENTS SONT PETITS ET SANS CONFORT.

Dire que j'ai quitté ma belle demeure pour ce trou à rats!

Oui, mais vous n'étiez pas si près du roi!

ILS N'ONT PAS L'EAU COURANTE. SEULEMENT DES FONTAINES REMPLIES PAR DES PORTEURS D'EAU, ET TRÈS PEU DE TOILETTES.

ON SE LAVE À L'ALCOOL OU AVEC DES SERVIETTES HUMIDES. ON SE PARFUME POUR MASQUER LES ODEURS FORTES QUI SONT PARTOUT.

Une goutte d'eau de fleur d'oranger et je ne sentirai plus cette affreuse odeur de crottin!

CES COURTISANS ONT « BOUCHE À COUR » ET MANGENT SUR PLACE, À DES TABLES BIEN FOURNIES. LES AUTRES DOIVENT SE LOGER DANS LES DÉPENDANCES DU CHÂTEAU OU EN VILLE OÙ ILS DOIVENT TROUVER À SE NOURRIR.

TOUT CELA COÛTE CHER ! POUR TENIR SON RANG, LA VIE DE COUR NÉCESSITE DE GRANDES DÉPENSES : HÔTEL EN VILLE, CHEVAUX, VÊTEMENTS DE LUXE, DOMESTIQUES...

Au train où vont les choses, je vais être obligé de faire un emprunt...

IL FAUT AUSSI SUIVRE LA MODE, QUI CHANGE SOUVENT. ROBES ET COIFFURES MONTENT, BAISSENT, SE PARENT DE RUBANS OU DE DENTELLES...

As-tu vu ces points noirs sur le visage de la duchesse ?

Oui, ce sont des mouches.*

UN COURTISAN DOIT MASQUER SES SENTIMENTS, NE JAMAIS MONTRER SA MAUVAISE HUMEUR OU SON DÉCOURAGEMENT. IL LUI FAUT TOUT ACCEPTER, EN TOUTES CIRCONSTANCES, ET AVEC LE SOURIRE !

Calme-toi, reprends-toi, sinon tu risques la disgrâce.

CE SOIR, IL Y A BAL. APRÈS QUE LE ROI A ESQUISSÉ LA PREMIÈRE DANSE AVEC LA REINE, LES COUPLES SE SUCCÈDENT SELON UN ORDRE PRÉCIS. ON ENCHAÎNE BRANLES, MENUETS, GAVOTTES ET SARABANDES. QUEL TOURBILLON !

Souriez, ma chère ! Le roi vous regarde et ça va bientôt être votre tour...

*Mouche : faux grain de beauté utilisé pour mettre en valeur un visage.

DES ACADÉMIES SONT CRÉÉES DANS LE DOMAINE DE LA DANSE, LA MUSIQUE, LA PEINTURE, LA SCULPTURE, L'ARCHITECTURE ET LA SCIENCE.

Que ces académies regroupent le meilleur de leur discipline pour étudier, publier les recherches. Sans oublier, de cultiver ma renommée!

LA LITTÉRATURE CONNAIT UN ÂGE D'OR. ELLE EST SERVIE PAR DES POÈTES COMME LA FONTAINE ET BOILEAU, DES PENSEURS COMME PASCAL, DES FEMMES DE LETTRES COMME MME DE LA FAYETTE OU MME DE SÉVIGNÉ.

Le cœur a ses raisons que la raison ne connaît pas.*

LE THÉÂTRE EST À L'HONNEUR AVEC RACINE ET MOLIÈRE. LA TROUPE DE CELUI-CI FUSIONNE AVEC CELLES DE L'HÔTEL DE BOURGOGNE POUR FORMER LA COMÉDIE-FRANÇAISE.

Je voudrais donc lui mettre dans un billet: belle marquise, vos beaux yeux me font mourir d'amour.

Ah! Ce Monsieur Jourdain, quel galant!

Chut!

Chut!

LA MUSIQUE EST PLACÉE SOUS LA DIRECTION DE LULLY QUI EST COMPOSITEUR ET AUTEUR D'OPÉRAS «À LA FRANÇAISE», UN GENRE QU'IL INVENTE.

Musique!

LES SCIENCES NE SONT PAS EN RESTE. L'ACADÉMIE DES SCIENCES EST CRÉÉE EN 1666. ELLE VERSE DES PENSIONS À DES SAVANTS COMME ROBERVAL (INVENTEUR DE LA BALANCE) ET À DES ASTRONAUTES COMME HUYGENS ET CASSINI. L'OBSERVATOIRE DE PARIS EST ÉDIFIÉ EN 1672.

Comme cette étoile brille!

Pas autant que vous, Sire!

Je suis en train de mettre au point la carte du ciel tel qu'il était au jour de votre naissance, Sire.

* Blaise Pascal, Pensées, 1670.

LE BEAU DÉCOR DU ROYAUME DE LOUIS XIV A SON ENVERS. IL EST TRISTE ET SOMBRE. IL EST CELUI DE 20 MILLIONS DE SUJETS QUI VIVENT À L'ÉCART DU FASTE DE LA COUR ET MÈNENT UNE EXISTENCE TRÈS DIFFICILE.

C'est donc là toute notre récolte?

Avec le temps qu'il a fait...

Et dire qu'il faudra en donner la moitié au roi...

D'ABORD, IL Y A LES GUERRES PERMANENTES ENTRE 1667 ET 1713. LEURS EFFETS SONT DÉSASTREUX. ELLES PRIVENT LES VILLAGES DE LEURS CÉLIBATAIRES TIRÉS AU SORT.

MAIS SURTOUT, LES GUERRES ALOURDISSENT LES IMPÔTS QUI PÈSENT SUR LE PEUPLE. ELLES DIVISENT PAR DEUX LE REVENU DES PAYSANS.

Quoi? Vous nous avez encore augmenté l'impôt? Vous nous saignez!

C'est la guerre.

C'EST ALORS LA RÉVOLTE. LE PASSAGE DES COLLECTEURS D'IMPÔTS PROVOQUE DES ÉMEUTES. ENTRE 1659 ET 1675, DE NOMBREUX TROUBLES AGITENT LES CAMPAGNES PARTOUT DANS LE ROYAUME.

Il paraît que dans le Boulonnais, les Landes, le Roussillon et le Vivarais, ils se révoltent aussi!

Ils ont raison!

À bas l'impôt!

EN 1685, LES «BONNETS ROUGES» DE BRETAGNE S'INSURGENT CONTRE LES TAXES SUR LE TABAC, LE PAPIER TIMBRÉ ET LES OBJETS EN ÉTAIN.

Voleur!

LA RÉPRESSION EST TERRIBLE. LES MOUSQUETAIRES OU LES DRAGONS DU ROI PENDENT LES MENEURS ET CONDAMNENT LES AUTRES AUX GALÈRES.

Tu rameras pour le roi le restant de tes jours!

CERTAINES ANNÉES, LES HIVERS GLACÉS SONT SUIVIS D'ÉTÉS PLUVIEUX. LES RÉCOLTES SONT RÉDUITES À NÉANT. LA FAMINE REVIENT AVEC SON CORTÈGE DE MALADIES.

Plus rien à manger...

LES HIVERS 1692 ET 1709 SONT PARTICULIÈREMENT TERRIBLES. LA SEINE, LA LOIRE ET LA GARONNE GÈLENT. DES PAYSANS DOIVENT SE NOURRIR D'HERBE ET DE GLANDS.

EN 1694, ON DÉNOMBRE 1,5 MILLION DE MORTS. LA POPULATION FRANÇAISE DIMINUE, DU JAMAIS VU DEPUIS LA PESTE NOIRE DE 1348 ! EN 1710, PLUS DE 250 000 PERSONNES MEURENT DE FAIM, DE FROID ET DE MISÈRE.

CERTAINES VILLES SECOURENT LES MISÉREUX, D'AUTRES LEUR FERMENT LES PORTES, COMME À RODEZ EN 1693. DANS LA COUR DU LOUVRE, À PARIS, ON CONSTRUIT EN HÂTE DES FOURS OÙ L'ON CUIT 100 000 PAINS PAR JOUR.

EN 1697, CHARLES PERRAULT PUBLIE UN RECUEIL DE CONTES DONT *LE PETIT POUCET*, L'HISTOIRE D'UN BÛCHERON QUI ABANDONNE SES ENFANTS DANS LA FORÊT, FAUTE DE NOURRITURE.

DES VOIX COMME CELLE DE FÉNELON RAPPELLENT À LOUIS XIV SES DEVOIRS DE ROI.

Plutôt que de saigner à blanc votre peuple, vous feriez mieux de le nourrir et de le chérir ; la France entière n'est plus qu'un grand hôpital désolé et sans provisions...

BOISGUILBERT ET VAUBAN PROPOSENT DE FONDRE LES IMPÔTS ROYAUX EN UN SEUL, PAYABLE PAR TOUS LES FRANÇAIS. ILS SONT TRÈS MAL REÇUS.

Les coquins ! De quoi se mêlent-ils ?

L'ENVERS DU DÉCOR, C'EST AUSSI LA PERSÉCUTION DE CEUX QUI NE PRATIQUENT PAS LA RELIGION D'ÉTAT, CELLE DU ROI, AUTREMENT DIT LA RELIGION CATHOLIQUE. « UN ROI, UNE LOI, UNE FOI » : TEL EST LE PRINCIPE QUE LOUIS XIV VEUT IMPOSER.

J'enrage! Ils ne connaissent donc pas ce principe : un roi, une loi, une foi!

Sire, l'Édit de Nantes dit que...

LES PROTESTANTS* DE FRANCE SONT LIBRES DE PRATIQUER LEUR RELIGION DEPUIS L'ÉDIT DE NANTES SIGNÉ EN 1598 PAR HENRI IV. ILS SONT ENVIRON UN MILLION, PLUTÔT AU SUD DE LA LOIRE.

Je ne peux point, c'est le jour du culte.

Tu viens chasser dimanche?

LOUIS XIII, RICHELIEU ET SURTOUT LOUIS XIV RÉDUISENT PEU À PEU LEURS DROITS.

ça devient dur d'être protestant en France...

Chut!

DIVERSES MESURES VISENT À FAIRE DISPARAÎTRE LES SIGNES EXTÉRIEURS DU PROTESTANTISME : INTERDICTION AUX PASTEURS DE PORTER LA SOUTANE, INTERDICTION D'ENTERRER LES MORTS LE JOUR, ET D'ÊTRE PLUS DE DIX PERSONNES AU CIMETIÈRE À CETTE OCCASION.

Tu es sûr que nous ne sommes pas plus de dix?

Difficile à dire, on n'y voit rien.

LOUIS XIV CHERCHE AUSSI À FREINER LA PROPAGATION DE CETTE FOI. IL INTERDIT LES ÉCOLES ET FACULTÉS PROTESTANTES ET OBLIGE LES PASTEURS À TENIR LES CÉRÉMONIES EN UN SEUL LIEU.

Fermé pour cause d'interdiction

ENFIN, LE ROI EXCLUT LES PROTESTANTS DES FONCTIONS MUNICIPALES ET DES MÉTIERS COMME MÉDECIN, PHARMACIEN OU AVOCAT.

Quoi? Vous êtes HUGUENOT? Eh bien, vous ne pouvez pas plaider!

* Les protestants sont aussi appelés les huguenots.

ANNÉE APRÈS ANNÉE, LES PERSÉCUTIONS S'INTENSIFIENT. LES « DRAGONNADES » SE GÉNÉRALISENT: LES SOLDATS DU ROI (DRAGONS) LOGENT DANS LES FAMILLES PROTESTANTES ET PILLENT LEURS MAISONS JUSQU'À CE QU'ELLES RENONCENT À LEUR FOI.

Tu connais ton « Je vous salue Marie » par cœur, j'espère ?

EN 1685, LE PROTESTANTISME EST INTERDIT. LES TEMPLES SONT RASÉS ET LES PROTESTANTS SONT CONDAMNÉS AUX GALÈRES.

Je révoque l'Édit de Nantes !

Il n'a plus de raison d'être appliqué puisqu'il n'y a plus de protestants en mon royaume.

200 000 PROTESTANTS ENVIRON REFUSENT DE SE CONVERTIR. ILS S'EXILENT EN ANGLETERRE, EN ALLEMAGNE, EN HOLLANDE, EN AMÉRIQUE...

MAIS CERTAINS CONTINUENT DE PRATIQUER LEUR CULTE EN SECRET. DANS LES CÉVENNES, UNE RÉVOLTE ÉCLATE EN 1702: C'EST LA GUERRE DES CAMISARDS.

Aux armes, compagnons !

PENDANT TROIS ANS, LES CAMISARDS* HARCÈLENT LES TROUPES DU ROI, ATTAQUENT LES CONVOIS ET LES COLLECTEURS D'IMPÔTS. MAIS ILS SONT VAINCUS ET LEURS VILLAGES SONT INCENDIÉS OU RASÉS.

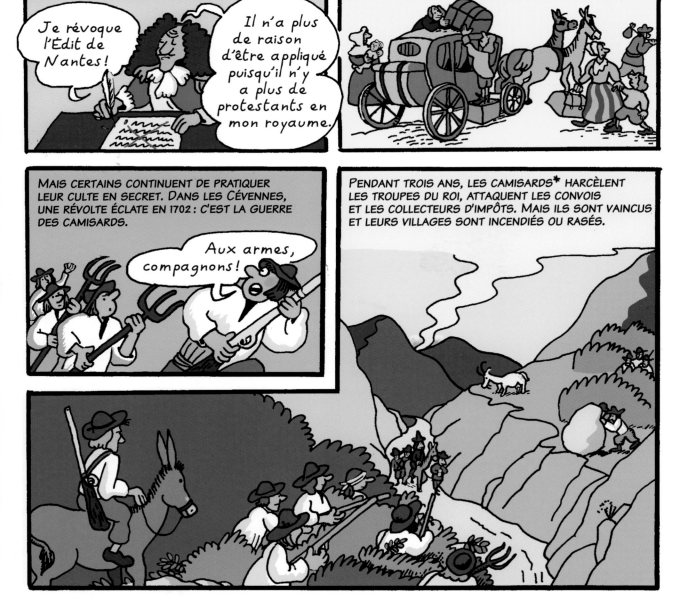

* Leur nom vient sans doute de la chemise qu'ils portaient en signe de reconnaissance.

LA FIN DU RÈGNE DE LOUIS XIV EST TRISTE ET DIFFICILE. EN 1701, UNE NOUVELLE GUERRE ÉCLATE CAR L'AUTRICHE, L'ANGLETERRE ET LA HOLLANDE NE PEUVENT ADMETTRE QUE LE PETIT-FILS DU ROI DE FRANCE MONTE SUR LE TRÔNE ESPAGNOL : C'EST LA GUERRE DE SUCCESSION D'ESPAGNE.

Quoi? Le petit-fils de Louis XIV sur le trône d'Espagne...

Inadmissible!

DE NOUVEAUX IMPÔTS SONT CRÉÉS ALORS QUE LA GUERRE S'ÉTERNISE ET QUE LA FRANCE EST AU BORD DE L'INVASION EN 1712. MAIS UNE VICTOIRE INESPÉRÉE PERMET DE SIGNER LA PAIX.

La capitation et le dixième : encore des impôts nouveaux!

Ça n'en finira donc jamais!

DES DEUILS À RÉPÉTITION FRAPPENT LA FAMILLE ROYALE. LE GRAND DAUPHIN, FILS DU ROI ET HÉRITIER DU TRÔNE, MEURT EN 1711.

Sire, un grand malheur... Votre fils...

L'ANNÉE SUIVANTE, À QUELQUES JOURS D'INTERVALLE, LE DUC DE BOURGOGNE, NOUVEL HÉRITIER DU TRÔNE, ET SON ÉPOUSE SUCCOMBENT, AINSI QUE LEUR FILS, LE PETIT DUC DE BRETAGNE.

Hélas, Sire...

EN 1714, C'EST UN AUTRE PETIT-FILS DU ROI, LE NOUVEAU DAUPHIN, LE DUC DE BERRY QUI MEURT D'UN ACCIDENT DE CHASSE.

C'est affreux! Snif... Mais qui sera l'héritier du trône? Snif...

IL RESTE ALORS UN SEUL DESCENDANT SUSCEPTIBLE DE SUCCÉDER À LOUIS XIV : SON ARRIÈRE-PETIT-FILS, LE DUC D'ANJOU, ÂGÉ D'À PEINE CINQ ANS. COMPTE-TENU DE SON ÂGE, IL NE POURRA PAS RÉGNER TOUT DE SUITE.

Un enfant! Et hélas, le régent sera le fils de mon frère. Mon neveu, ce bon à rien...

LE RÉGENT SERA DONC PHILIPPE D'ORLÉANS. LE ROI SE MÉFIE DE CET HOMME À LA MAUVAISE RÉPUTATION. SOUS L'INFLUENCE DE MADAME DE MAINTENON, IL SIGNE UN TESTAMENT POUR L'ÉCARTER.

Un mécréant, un débauché...

Ce coquin ne conduira pas les affaires !

LE 9 AOÛT 1715, DE RETOUR D'UNE CHASSE, LOUIS XIV SE PLAINT DE DOULEURS À LA JAMBE. SON MÉDECIN CROIT À UNE SCIATIQUE.

Sire, buvez ce quinquina puis ce lait d'ânesse, vous en serez soulagé.

MAIS C'EST BEAUCOUP PLUS GRAVE. LA JAMBE NOIRCIT : C'EST LA GANGRÈNE* ! LE ROI REÇOIT LE PETIT DAUPHIN À QUI IL FAIT SES RECOMMANDATIONS.

Ne m'imitez pas dans les guerres, tâchez de maintenir la paix et de soulager vos peuples...

AU MATIN DU 1ᴱᴿ SEPTEMBRE 1715, IL S'ÉTEINT À L'ÂGE DE 77 ANS. SI LA TRISTESSE EST DE MISE, EN RÉALITÉ PEU DE GENS PLEURENT SA MORT.

C'est la fin.

Le roi...

N'est plus !

APRÈS UN RÈGNE DE 72 ANS (1643-1715), LE PLUS LONG DE L'HISTOIRE DE L'EUROPE, LOUIS XIV, LE ROI-SOLEIL, LAISSE UN ROYAUME AGRANDI ET ADMIRÉ, MAIS ÉPUISÉ ET AU BORD DE LA RUINE.

Son appétit de gloire a favorisé le prestige de la France !

Une gloire qui rayonne partout en Europe !

Mais à quel prix !

* Gangrène : putréfaction des tissus qui entraîne la mort.

1638 (5 septembre)
Naissance à Saint-Germain-en-Laye de Louis Dieudonné,
fils de Louis XIII et d'Anne d'Autriche.

1643
Mort de Louis XIII. Anne d'Autriche régente du royaume.

1654
À l'âge de seize ans, sacre du roi Louis XIV à Reims.

1661
Mort de Mazarin. Louis XIV décide de gouverner seul.

1665
Première représentation du *Dom Juan* de Molière.

1669
Extension des pouvoirs du ministre Colbert.

1672–1679
Guerre de Hollande.

1682
La cour s'installe à Versailles.

1684
Achèvement de la galerie des Glaces.

1685
Révocation de l'Édit de Nantes.

1693 et 1709
Terribles famines en France.

1702–1704
Guerre des camisards dans les Cévennes.

1702–1713
Guerre de Succession d'Espagne.

1715 (1ᵉʳ septembre)
Mort de Louis XIV.

MARIE-THÉRÈSE

En 1660, son mariage avec Louis XIV scelle la paix entre l'Espagne et la France. Discrète, pieuse, parlant mal le français, elle reste à l'écart des affaires du royaume. Elle donne naissance à six enfants. Jusqu'à sa mort (1683), elle se résigne à vivre aux côtés des favorites successives du roi, comme madame de Montespan ou madame de Maintenon.

LOUIS XIV

Devenir roi à l'âge de 5 ans, régner 72 ans, personnifier le modèle du monarque absolu, tel est le destin exceptionnel du Roi-Soleil. Une grande intelligence, un sens aigu de l'autorité et une forte sensibilité artistique lui permettent de donner à son règne un éclat sans pareil. Mais, épris de gloire, il mène des guerres ruineuses.

MADAME DE MAINTENON

Dernière favorite de Louis XIV, elle est l'ancienne gouvernante des enfants nés de la liaison du roi avec madame de Montespan. Elle épouse secrètement le roi en 1683 et plonge la cour dans l'austérité et l'ennui. En 1715, elle se retire à Saint-Cyr, là où elle a fondé une école pour les jeunes filles nobles sans fortune.

COLBERT

Entre 1661 et 1683, ce fils d'un marchand drapier est le principal ministre du roi sans en avoir le titre. Bourreau de travail, il est la cheville ouvrière de toute l'administration du royaume. Pour remplir les caisses de l'État, il mène une politique active. Mais on lui reproche son dirigisme et sa tendance à réglementer toute l'économie.

VAUBAN

Ce grand militaire participe à toutes les campagnes de Louis XIV. Surtout, il fait aménager 300 forteresses et construire 33 places fortes qui dotent les frontières d'une ligne de défense presque continue. Il dénonce la révocation de l'Édit de Nantes et se brouille avec le roi quand il avance l'idée d'un impôt payable par tous les Français.

MOLIÈRE

Fils d'un tapissier, Jean-Baptiste Poquelin choisit de devenir comédien et de créer sa troupe. Quand il se produit à la cour en 1658, il est remarqué par le jeune roi Louis XIV qui ne cessera pas de le soutenir, même lorsque des pièces comme *Tartuffe* et *Dom Juan* sont audacieuses. Molière meurt en 1673 lors d'une représentation du *Malade imaginaire*.

Jamais roi de France n'a été saisi par une telle fièvre de construction. En de nombreux lieux, Louis XIV lance des projets de bâtiments, de rénovation, d'aménagement et de décoration.

Que des chantiers, partout ! Il s'agit d'affirmer durablement sa gloire et la puissance de l'État. Sa source d'inspiration : l'Antiquité dont l'art correspond, selon le roi, à un idéal d'équilibre et d'harmonie.

De nouveaux et somptueux palais

Versailles, bien sûr, qui ne cesse d'être agrandi, transformé tout au long du règne, mais aussi **Marly,** créé de toutes pièces et aujourd'hui disparu.

Construit entre 1679 et 1686, au moment où le chantier de Versailles bat son plein, Marly est aussi démesuré, même s'il s'agit de la **« maison de campagne » du roi** où il aime se réfugier avec une poignée de courtisans. Le **pavillon royal** est un bâtiment élégant encadré de parterres. Il domine un vaste jardin où s'alignent de chaque côté six pavillons destinés aux invités. Un **grand parc** entoure l'ensemble avec des bosquets de verdure savamment ordonnés, des plans d'eau et des bois. L'ensemble est grandiose.

Le vœu de tout courtisan : être convié par le roi à l'accompagner à Marly.

Château de Saint-Germain-en-Laye, où est né Louis XIV.

Coup de neuf sur les vieux palais

Les résidences royales construites par les prédécesseurs de Louis XIV sont mises au goût du jour. Le vieux **Louvre** est embelli avec la galerie d'Apollon, la cour carrée et la majestueuse colonnade due à Claude Perrault. Aux **Tuileries** sont aménagés des appartements du roi et une salle d'opéra, la première en France. **Vincennes,** où le roi vient pour chasser, est agrandi par deux corps de logis. L'intérieur est magnifiquement décoré, tout comme le château de **Saint-Germain-en-Laye** où le roi a vu le jour.

La place Vendôme,
à Paris.
La colonne date
de l'époque
napoléonienne.

Où va-t-on maintenant? À Vincennes ou à Fontainebleau?

et Paris ?

Elle vit à l'ombre de Versailles, mais n'est pas négligée. On y élève l'hôtel des Invalides et l'hôpital de la Salpêtrière, l'église Saint-Sulpice, la manufacture des Gobelins et l'Observatoire, tous aux silhouettes majestueuses. Aux portes de Saint-Denis et de Saint-Martin, des arcs de triomphe, comme au temps de l'**Antiquité** romaine, marquent l'entrée de la cité. À l'égal de la place des Victoires et de la place Vendôme, **joyaux de l'art classique,** les grandes villes (Lyon, Caen, Dijon) se voient *parées* de **places royales** où trônent les statues équestres représentant le souverain.

Sébastien Le Prestre,
marquis de Vauban
(1633-1707)
fut ingénieur, architecte
militaire, urbaniste,
ingénieur hydraulicien
et essayiste.

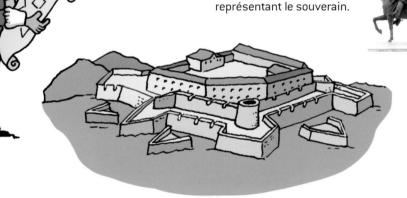

Citadelles, enceintes urbaines, forts, tours et bastions : les fortifications conçues par Vauban sont inscrites au patrimoine mondial de l'Unesco.

Le Canal Royal en Languedoc

C'est le nom d'origine du **canal du Midi** percé entre 1666 et 1681. Il a une fonction essentiellement utilitaire : construire une voie navigable reliant l'océan Atlantique et la Méditerranée. Le défi paraît surhumain, mais la ténacité de **l'ingénieur Riquet** va au-delà de tout. Armés de simples pelles, pioches et hottes, 12 000 ouvriers creusent et bâtissent le canal sur une longueur de **241 km.** C'est un véritable **tour de force** pour l'époque.

Crise de logement

7 000 personnes s'entassent au château et dans ses dépendances. Les courtisans s'y bousculent, jouent des coudes pour y habiter, car pour eux l'essentiel est de **loger sous le même toit que le roi** et, si possible, au plus près des appartements royaux.
Pour obtenir un logement, même aux dimensions **minuscules,** c'est la foire d'empoigne !

Ouvert au public

Le roi et les courtisans ne vivent pas dans un monde clos, mais au milieu d'**une nuée d'ouvriers, de petits commerçants, de laquais et de porteurs d'eau**. Les visiteurs aussi sont nombreux. Cette foule de curieux vient admirer le palais et ses occupants car il est largement ouvert au public. Il suffit d'être correctement vêtu et, pour les hommes, de porter l'épée au côté. Repas au Grand couvert, naissances des enfants royaux, fêtes... **presque tout est public.** Ce qui entraîne parfois des bousculades, des débordements et souvent des vols en dépit des gardes, des valets et des espions chargés de la surveillance.

Quel appétit !

Le roi absorbe des quantités de nourriture considérables. Rien d'étonnant à ce qu'il se plaigne régulièrement d'indigestions, et qu'à sa mort on lui ait trouvé un estomac deux fois plus gros que la moyenne !
Il aime les **viandes** et le **gibier en sauce** mais se régale aussi de **légumes** (petits pois, artichauts, asperges) et de **fruits** (melons, fraises, figues). **Le jardinier du roi,** La Quintinie, s'emploie à satisfaire les désirs de son maître. Dans son potager, il fait pousser une centaine de variétés de poires. Ce fruit est le péché mignon de Louis XIV.

Dans la Galerie des Glaces, chacun guette l'occasion d'attirer l'attention du roi.

Jean-baptiste Lully
(1632-1687)

Dieu sauve le roi !

Pour fêter le rétablissement du roi après l'opération délicate qu'il subit en 1686, Madame de Maintenon charge **Lully** de composer une mélodie. Un Anglais présent à la cour la trouve fort agréable et la copie avant de la rapporter à la cour d'Angleterre. Là, les souverains l'entendant, décident de l'adopter pour en faire **l'hymne de leur royaume.** C'est ainsi que le Royaume-Uni doit son chant officiel *God Save the King* (« Dieu sauve le roi ») aux ennuis de santé de Louis XIV...

C'est l'heure du bain !

Contrairement à ce que l'on a longtemps dit, le château offre un **confort moderne** et ses occupants se lavent. Pas à l'eau car, à l'époque, les médecins pense qu'elle est porteuse de maladies, mais à l'**alcool** ou avec des serviettes légèrement humides. Le bain ne se fait que sur recommandation d'un médecin ! Il existe, par ailleurs, des lieux d'aisance publics mais ils sont en nombre insuffisant. Chaque appartement dispose de **chaises percées** qui sont vidées dans des fosses d'aisance reliées à un **système d'égouts.**

Une goutte d'eau de fleur d'oranger et je ne sentirai plus cette affreuse odeur de crottin !

Pour masquer les odeurs fortes qui règnent à Versailles, rien ne vaut l'utilisation des parfums les plus variés : musc, civette, patchouli, cannelle…

Le perruquier du roi

C'est **Louis XIII,** le père de Louis XIV qui, vers 1620, devenu chauve, lance la **mode des perruques.** Louis XIV se résout à en porter à l'âge de 38 ans. Il fait appel à **monsieur Binet**, le célèbre perruquier de Paris qui lui en fabrique un grand nombre. Comme tous les autres perruquiers, il a sous ses ordres des équipes de coupeurs de cheveux qui sillonnent le royaume en tous sens pour acheter des cheveux. Les perruques sont des **produits de luxe.** Elles coutent très cher même si elles sont **lourdes** à porter et font beaucoup transpirer.

Ministres et magistrats portent de volumineuses perruques.

À la fin du XVIIe siècle, les meilleurs carrosses et calèches deviennent confortables grâce à l'invention des suspensions à ressorts.

Roulez carrosses

Pour tenir leur rang et montrer qu'ils sont des personnages importants, les courtisans roulent dans de magnifiques carrosses attelés par **six chevaux.** Ceux à huit chevaux sont **réservés au roi.** Même installés dans de belles voitures, ils doivent compter plus de deux heures pour se rendre à Paris distante de 21 km.

Les réceptions officielles : le grand jeu

Elles sont l'occasion pour le roi d'**étaler son orgueil** et de montrer aux souverains étrangers ou à leurs envoyés la **magnificence de la cour**, la somptuosité du lieu, son **autorité de monarque absolu.**

En 1685, il reçoit, debout devant son trône, le doge de Gênes. Les trois ambassadeurs du roi de Siam reçus en 1686 avec le même apparat multiplient les révérences tout le long de la Grande Galerie. Comme le délégué du chah de Perse en 1715 face au roi juché sur une estrade, couvert de tous les diamants de la Couronne. Tous repartent **éblouis par tant de faste** et sans manquer d'en rendre compte dans leur pays.

Un art français

Jusque vers 1660, l'**influence de l'Italie** est forte dans le domaine artistique. En valorisant et en réunissant autour de lui les meilleurs talents du royaume, Louis XIV fait naitre **un art typiquement français.** En architecture, c'est le triomphe de la ligne droite et de la symétrie à travers le **« classicisme »** qui donne aux bâtiments une allure sobre et majestueuse. Les **jardins « à la française »** sont conçus selon un tracé géométrique.

Grand amateur de musique et de danse, le jeune Louis XIV n'hésite pas à participer aux spectacles de cour.

Le style Louis XIV

Il en est de même en peinture avec **Le Brun** qui définit un « art officiel » en décorant le Louvre, et surtout Versailles. Le mobilier qui y est installé est conçu dans le « style Louis XIV » caractérisé par la majesté et la richesse. **L'ébéniste Boulle** emploie ébène et bronze et développe la technique de la **marqueterie** en incrustant du nacre ou de la pierre pour former un décor.

Ébéniste du roi, André-Charles Boulle (1642-1732) réalise des meubles ornés de riches décors de bronze.

À Versailles, le théâtre de la reine est postérieur à Louis XIV. Il a été construit pour Marie-Antoinette.

Le théâtre, un plaisir nouveau

C'est par les grands spectacles donnés à Versailles que le théâtre s'impose peu à peu. **Molière,** grand organisateur des fêtes avec Lully, écrit et fait jouer ses comédies au genre nouveau. Pour faire rire, il abandonne la farce et la comédie à l'italienne et met l'accent sur **les travers des hommes et les absurdités de la société.**

Corneille et **Racine** triomphent avec leurs tragédies, véritables trésors de la langue française. À Paris, deux puis trois théâtres sont fondés, pour le plus grand plaisir du public.

> Molière, faites-nous rire, que diantre! Et vous, monsieur Corneille, montrez-nous les hommes tels qu'ils devraient être!

> Comment allez-vous me peindre?

> De façon académique, Sire.

La langue française à l'honneur

Dès le début du XVIIIe siècle, le prestige de la France, la renommée de ses gens de lettres sont si importants que le français s'impose comme **la langue universelle des gens instruits.** On le parle, on l'écrit dans les cours européennes. On l'utilise comme **langue diplomatique.** Jamais le rayonnement de la France n'a été aussi grand.

Versailles, la référence absolue

Aux yeux des souverains étrangers, ce palais est un **modèle** qu'ils cherchent à imiter. Fascinés par le Roi-Soleil, par la cour qu'il a réunie autour de lui, par la beauté et la qualité des œuvres d'art qui peuplent la résidence royale, tous veulent avoir « leur Versailles ».

Pierre Ier de Russie élève Peterhof, près de Saint-Pétersbourg, **Marie-Thérèse d'Autriche** fait bâtir sa résidence d'été à Schönbrunn, à proximité de Vienne. Le roi des Deux-Siciles, **Charles III**, s'installe à Caserte, proche de Naples. En 1878, **Louis II de Bavière** cherche à bâtir la copie de Versailles mais elle restera inachevée.

> Il nous reste Versailles...

> Et ce n'est pas rien: on en parle dans toute l'Europe! Avec ce que ça nous a coûté

VIVRE SOUS LOUIS XIV

Le pain quotidien du peuple

L'essentiel de la nourriture des Français est **le pain.** C'est pour cette raison que son prix est la principale préoccupation du petit peuple des villes. Il est plus noir que blanc car il est fait avec un **mélange de seigle et de froment.** On le cuit pour la semaine et on le mange rassis, frotté d'ail et trempé dans la **soupe** que l'on mange trois fois par jour.

Les nouveaux bourgeois gentilshommes

Les riches bourgeois singeant les nobles sont aussi la cible de Molière dans *Le Bourgeois gentilhomme.* Au XVIIe siècle, leur nombre s'accroît. Ils tirent leur fortune de leurs activités dans le commerce. Ce qui leur permet d'**acheter des charges** correspond à des métiers

dans l'administration, la justice ou les finances. Un moyen pour l'État de remplir ses caisses et une façon pour les bourgeois d'accéder à la noblesse, le rang social auquel ils rêvent.

À l'école mais pas toute l'année

À la campagne, dans certaines provinces, des maîtres d'école sont recrutés dans les foires ou désignés par les villageois les plus influents. **Ils enseignent aux enfants l'histoire sainte et quelques notions de calcul.** Peu apprennent à écrire et à lire.

L'école est fréquentée les **mois d'hiver** car les travaux des champs à la belle saison nécessitent la participation de tous, même les plus jeunes. 29 % des hommes et seulement 14 % des femmes sont capables de signer leur nom vers 1685.

Le soir à la veillée

Les seuls livres que les paysans possèdent sont des petites brochures vendues sur les foires, les marchés ou par les marchands ambulants qui vont de ferme en ferme. Les plus courantes sont celles de la « Bibliothèque bleue de Troyes », à la couverture bleue. On y raconte des **vies de saints,** des **contes de fée,** des **farces** ou les exploits largement enjolivés des héros de l'**histoire de France.**

Le colporteur, tableau de l'école française, XVIIe siècle

Le diable à l'œuvre

On croit encore aux **sorcières :** des femmes qui auraient vendu leur âme au diable en échange de pouvoirs magiques. On les accuse de jeter des sorts, d'empoisonner l'eau des puits, de faire pourrir les blés, de donner la rage à un chien... Dans les campagnes, ces croyances sont très répandues. Les suspectes subissent **toutes sortes de supplices** et sont même **brulées sur des bûchers.** Le dernier est dressé en 1679 pour quatre femmes à Bouvignies, près de Lille.

Sire, buvez ce quinquina puis ce lait d'ânesse, vous en serez soulagé.

Clystère en étain utilisé pour les lavements.

Pauvre médecine !

Elle tue davantage qu'elle ne guérit. Elle est basée sur **deux remèdes : la saignée et le lavement.** Persuadés que le sang transporte de « mauvaises humeurs » responsables de la maladie, les médecins pensent qu'il faut les évacuer par des saignements. **On saigne** à peu près pour n'importe quel motif. Et quand on ne le fait pas, **on purge !** On injecte à l'aide d'une grosse seringue une grande quantité d'eau dans le corps du malade. Le roi est purgé chaque jour, parfois à plusieurs reprises. Quand cela ne suffit pas, il faut avaler tout un tas de **potions,** de **poudres** aussi bizarres qu'inefficaces.

Dans ses comédies, **Molière** se moque de ces pratiques et ridiculise les médecins prétentieux et incompétents.

Peut mieux faire

Paris, vers 1660, a la réputation d'être la ville **la plus sale d'Europe.** Sitôt nommé, le lieutenant général de Police, La Reynie entreprend de la nettoyer. Les habitants ont l'obligation de balayer devant leur porte, de verser leurs déchets dans un tombereau dont le passage est signalé par une cloche.

Pour améliorer la sécurité, il fait installer **5 000 lanternes** pour éclairer les rues entre octobre et mars. Mais ces mesures utiles sont insuffisantes, Paris n'a **pas de réseaux d'égouts,** sent mauvais l'été, et reste un **coupe-gorg**e la nuit.

La galerie des glaces

Joyau du château, toute d'or et de lumière, elle est construite entre 1678 et 1684 par l'architecte Hardouin-Mansart et décorée par le peintre Le Brun. Longue de 73 mètres, elle est éclairée par 17 hautes fenêtres auxquelles font face autant de miroirs. Destinée à **éblouir les visiteurs** du Roi-Soleil, la galerie abrite des réceptions d'ambassades, des **fêtes** et des **bals.** Au quotidien, elle sert aussi de lieu de passage et de rencontres.

L'Orangerie

Édifiée en 1686, l'orangerie du château abrite en hiver **1 500 arbustes** en caisse, en majorité des orangers, mais aussi des grenadiers et des lauriers. L'épaisseur des murs est telle qu'elle n'a jamais connu une gelée. À la belle saison, les arbres d'agrumes sont sortis dans l'élégant parterre pour le plus grand plaisir de Louis XIV qui s'y promène souvent.

Devant le Tapis vert, le bassin d'Apollon.

Les bassins

Les jardins de Versailles, œuvre d'André Le Nôtre, mettent en scène le mythe solaire d'**Apollon** et, par analogie, vantent la splendeur du Roi-Soleil. Situé sur l'axe central du parc, au pied des pelouses du Tapis vert et devant le Grand Canal, on trouve le bassin d'Apollon. **Le char du Soleil**, groupe sculpté en 1670 par J.-B. Tuby, émerge de l'eau tiré par quatre chevaux entourés par des poissons et des tritons.

Le grand trianon

Splendide édifice de marbre rose et de porphyre, le Grand Trianon est édifié en 1687 sur les plans de **Jules Hardouin-Mansart** qui respecte à la lettre les indications de Louis XIV. Le Roi-Soleil souhaite disposer à Versailles d'un lieu calme et raffiné pour y **fuir les fastes et l'agitation de la Cour.** Inspiré par l'architecture italienne, le Grand Trianon s'étend sur un seul niveau et se prolonge par d'élégants jardins surplombant le Grand Canal.

Le petit trianon

Le Petit Trianon est postérieur à Louis XIV. Il sera **offert par Louis XVI à Marie-Antoinette** en 1774 afin qu'elle puisse se soustraire aux obligations de l'étiquette royale. De plan carré, simple et épuré, le **petit château** est entouré de jardins de styles variés, dont un délicieux jardin « à l'anglaise » en contraste avec le classicisme du reste du parc.

Le hameau de la Reine

À proximité immédiate du Petit Trianon, le Hameau sera réalisé en 1783 **pour Marie-Antoinette.** Entourée de ses dames de compagnie, elle viendra y ressentir les charmes de la vie champêtre. Tel un **village normand,** le hameau comprend douze petits bâtiments répartis autour d'un étang : la maison de la Reine, mais aussi une ferme, un moulin, une laiterie, une grange, un colombier...

Après cette partie de chasse, vous m'accorderez une danse?

Oh, Sire, vous avez tant à faire!

7 erreurs, absurdités ou anachronismes ont été volontairement glissés dans ce dessin. Sauras-tu les retrouver ?

Réponses (de haut en bas de l'image) : **1.** Le réverbère électrique est inconnu à l'époque de Louis XIV. **2.** La montgolfière ne volera qu'en 1783. **3.** Les tondeuses à gazon n'existent pas au XVIIᵉ siècle. **4.** Le personnage de droite porte un blue-jean. **5.** Les hommes ne portent pas la barbe à la cour de Louis XIV. **6.** La femme en robe mauve téléphone. **7.** Le courtisan à gauche du roi porte une perruque d'époque Louis XVI.

La ville fortifiée de Neuf-Brisach

☀ Les **ouvrages édifiés par Vauban** sont très nombreux en France. Parmi les **villes fortifiées** et places-fortes, on peut citer :

- <u>Au nord et à l'est</u> : Arras, Besançon, Longwy et une ville nouvelle, Neuf-Brisach.
- <u>Dans les Alpes</u> : Briançon, Mont-Dauphin.
- <u>Dans les Pyrénées</u> : Villefranche-de-Conflent et Mont-Louis.
- <u>Le long du littoral</u> : la citadelle de Blaye, Camaret, Saint-Palais à Belle-Ile-en-Mer, Saint-Martin-de-Ré, Saint-Vaast-la-Hougue (fort de Tatihou).

Tous ces lieux sont inscrits au patrimoine mondial de l'UNESCO.

☀ La ville de **Saint-Malo,** entourée de **remparts,** a conservé son aspect d'autrefois. C'était le port d'attache des corsaires sévissant pendant la guerre de course

☀ À **Rochefort,** la **corderie royale** est le bâtiment le plus important de l'arsenal fondé en 1666. Il abrita pendant près de deux cents ans la fabrication des cordages de la marine royale. Sa longueur, 374 m, correspond à la confection d'un cordage de 200 m d'un seul tenant.

Deux pavillons encadrent le bâtiment principal : au nord, celui destiné au stockage du chanvre et, au sud, celui destiné au goudronnage du cordage pour éviter qu'il pourrisse au contact de l'eau de mer.

Le château de Vaux-le Vicomte

☀ **L'architecture du** XVIIe **siècle** est à l'honneur dans les villes.

Dans les quartiers anciens des grandes villes, il existe de nombreux hôtels particuliers construits au siècle de Louis XIV. À Paris, le **quartier du Marais** en est peuplé. Hormis le **Louvre,** les Invalides, l'église du Val-de-Grâce ou les Gobelins, les **places royales** (place Vendôme et place des Victoires), les portes Saint-Martin et Saint-Denis...

☀ **Autour de Paris**

De nombreux châteaux à l'ouest de la capitale : **Versailles,** bien entendu, mais aussi **Saint-Germain-en-Laye** où Louis XIV est né et a été élevé. À **Maisons-Laffitte,** la demeure de dimensions assez modestes est conçue par Mansart entre 1642 et 1651. À l'est de Paris, le château de **Vaux-le-Vicomte** fut construit pour Nicolas Fouquet, alors surintendant des Finances de Louis XIV.

Jardins à la française de Vaux-le Vicomte

Où retrouver Louis XIV et son époque ?

La Corderie Royale à Rochefort